PETITE ANTHOLOGIE PÉREMPTOIRE
DE LA LITTÉRATURE QUÉBÉCOISE

LES GRANDES CONFÉRENCES

GILLES MARCOTTE

Petite anthologie péremptoire de la littérature québécoise

FIDES

Conception graphique: Gianni Caccia
Couverture photo: © Jean-François Bérubé, 2005
Mise en pages: Yolande Martel

Catalogage avant publication de Bibliothèque et Archives Canada

Marcotte, Gilles, 1925-

Petite anthologie péremptoire de la littérature québécoise

(Les grandes conférences)

ISBN-13: 978-2-7621-2728-7
ISBN-10: 2-7621-2728-9

1. Littérature québécoise – Histoire et critique.
I. Titre. II. Collection: Grandes conférences.

PS8131.Q8M36 2006   C840.9   C2006-940994-3
PS9131.Q8M36 2006

Dépôt légal: 3ᵉ trimestre 2006
Bibliothèque et Archives nationales du Québec
© Éditions Fides, 2006

Les Éditions Fides reconnaissent l'aide financière du Gouvernement du Canada par l'entremise du Programme d'aide au développement de l'industrie de l'édition (PADIÉ) pour leurs activités d'édition.

Les Éditions Fides remercient de leur soutien financier le Conseil des Arts du Canada et la Société de développement des entreprises culturelles du Québec (SODEC).

Les Éditions Fides bénéficient du Programme de crédit d'impôt pour l'édition de livres du Gouvernement du Québec, géré par la SODEC.

IMPRIMÉ AU CANADA EN SEPTEMBRE 2006

Cette conférence a été prononcée le 28 mars 1994 au département d'Études françaises de la University of Guelph, à l'occasion de la remise d'un doctorat *honoris causa*. Elle a été reprise en novembre 1997 à la Société littéraire de Laval. Elle a subi quelques modifications pour la publication.

LORSQUE FRANÇOIS PARÉ m'a invité à prononcer cette conférence, conséquence logique et nécessaire de l'attribution d'un doctorat *honoris causa* par l'université de Guelph – un doctorat gratuit, en quelque sorte, sans thèse, ce qui est bien commode –, j'ai fait quelques recherches parmi les sujets que je pourrais traiter dans le domaine de la littérature québécoise : c'était inclus dans l'invitation. Après avoir fait le tour du jardin deux ou trois fois, j'ai cessé de chercher. J'ai décidé que je ne parlerais pas d'un sujet. Je propose une conférence sans sujet, une conférence livrée tout entière, ou presque, au caprice du goût. C'est-à-dire une anthologie péremptoire – toute anthologie est péremptoire, puisqu'il lui est impossible de donner les raisons suffisantes de ses choix, mais la mienne le sera beaucoup plus que les autres car elle a voulu cette absence de raisons – de la littérature québécoise.

Si j'ai choisi, non pas ce sujet donc puisque ce n'en est pas un, mais ce prétexte, ou cette façon de faire, c'est que j'en rêvais depuis longtemps, que plusieurs raisons, dont un mélange de crainte et de pudeur, m'avaient empêché de l'entreprendre, et qu'une conférence me permettrait à tout le moins d'en esquisser le projet. Il m'arrive d'être un peu fatigué, je dois l'avouer, des grands thèmes généraux de discussion sur la littérature québécoise, que j'ai moi-même agités à plus d'une reprise durant une carrière assez longue, et ce projet me permet de prendre une distance rafraîchissante par rapport à ce type de discours. Une distance : celle du choix résolument personnel, où les humeurs l'emportent d'emblée, à l'occasion, sur les délibérations du jugement[1]. Je ne suis plus du tout ici – ou à peine, on ne s'éloigne jamais assez – l'interprète d'une littérature nationale, pratiquant les jeux d'équilibre plus ou moins conscients que suscite un tel rôle, mais je deviens ou plutôt je redeviens lecteur. Un lecteur pas tout à fait comme un autre, évidemment, puisqu'il a travaillé, enseigné, souffert un peu à l'université, mais

---

1. Soyons honnête : sans les annuler tout à fait...

un lecteur en quelque sorte privé, qui s'arroge le droit inaliénable de choisir et donc d'écarter – ce sera le plus dur, le plus choquant –, un lecteur arrogant, injuste comme tous les lecteurs dignes de ce nom. Je ne suis pas du tout ou je suis le moins possible, ici, celui qui, il y a une quinzaine d'années, dirigeait la fabrication d'une anthologie de la littérature québécoise en quatre gros volumes. Là, je devais respecter les droits de l'histoire, les circonstances, je devais rendre compte de ce qui était avant tout un ensemble, presque une somme, au point même d'être infidèle au sens originel du mot « anthologie », qui est discours du meilleur. Je dirai même que cette conférence, je ne l'ai pas écrite pour instruire le lecteur ou même lui faire plaisir, mais plutôt pour me faire plaisir à moi-même, presque seulement à moi-même. C'est donc une entreprise qui s'avoue, d'entrée de jeu, éminemment égocentrique. J'abandonne toute prétention à la force de conviction, à l'utilité, j'annonce que je vais me livrer presque exclusivement à mes propres penchants. Je vais affirmer, je vais choisir sans vergogne, sans me soucier de démontrer. Je vais me prévaloir de l'autorité inconditionnelle du goût personnel. À la télévision et dans quelques librairies, on appelle ça des « coups de cœur ». J'aimerais toutefois que ce soient aussi, parce qu'il ne faut pas tout accorder au caprice, des « coups d'intelligence », enfin que mes choix révèlent – qu'ils me révèlent à moi-même autant qu'à ceux qui me lisent – un certain idéal, une certaine idée de la littérature.

Mon anthologie péremptoire devra tout de même se donner quelques règles, comme par jeu, et dans une certaine mesure c'est bien un jeu, dont les risques d'ailleurs ne sont pas absents. La première que j'ai édictée est celle de la démarche chronologique, à distinguer bien sûr de la démarche historique, fondée sur le développement. Si je choisis cette démarche, c'est en premier lieu par convention, par commodité, mais je tiens à dire que les textes retenus ne le seront pas d'abord en vertu de leur correspondance avec une époque mais plutôt en fonction de ce qu'ils me disent, à moi-même, *hic et nunc*, de ce qu'ils sont comme textes. Le texte littéraire n'est pas prisonnier de l'histoire ; je dirai même que pour l'essentiel, en tant que littéraire, en tant qu'il est livré à la lecture personnelle, qu'il mérite d'être livré à la lecture, il lui échappe essentiellement.

La deuxième règle que je me suis imposée est peut-être la plus contraignante et la plus lourde de conséquences : elle touche le nombre de textes que j'accepterai d'inclure dans mon anthologie. Pour ne pas tourner à la liste de prix, il doit être peu élevé : j'ai décidé de ne pas dépasser la dizaine. D'un certain point de vue, c'est peu, c'est très peu, puisque je devrai sacrifier non seulement des écrivains pour lesquels j'ai la plus grande considération, des écrivains que j'aime, mais encore, dans l'œuvre des écrivains retenus, des textes importants, et l'on me verra sans doute verser plus d'une larme de regret durant cet exercice. D'autre part, on peut considérer qu'une dizaine de textes, c'est beaucoup, c'est trop, que j'aurais dû m'en tenir à deux ou trois et les commenter plus généreusement, mais alors le mot même d'anthologie n'aurait plus aucun sens.

Troisième règle : pour des raisons de cohérence linguistique, je ne parlerai que d'écrivains francophones, excluant ainsi quelques-uns des plus grands romanciers, prosateurs et poètes qui ont fait carrière au Québec, de Stephen Leacock à Mordecai Richler, de Frank Scott à Hugh MacLennan. Cette remarque, je tenais à la faire pour me venger – en retard sans doute, mais la vengeance est un plat qui se mange froid – de ceux qui m'ont obligé il y a presque un demi-siècle à abandonner le double adjectif canadien-français, le seul acceptable à mon avis, le seul juste, pour celui de québécois.

Enfin, m'y voici, j'arrive à mon anthologie. Ou plutôt j'y arriverai très bientôt, après avoir fait l'observation suivante, qui contredit dans une certaine mesure ce que j'ai dit précédemment : je sais fort bien que ce que j'appelle le caprice, celui du lecteur absolument privé, m'est à toutes fins pratiques interdit, et que mes choix seront dictés malgré moi, dans une certaine mesure, par un certain nombre de présupposés esthétiques, politiques, moraux – au sens large, grands dieux, au sens large ! –, voire par une conception générale de la littérature, et particulièrement de la littérature québécoise. Mais, pour l'instant, j'essaie de ne rien savoir de tout ça. Je marche, je parle, je choisis comme si j'étais entièrement libre. En fin de course, cependant, je m'interrogerai peut-être brièvement, en regardant le chemin parcouru, sur les raisons qui m'ont fait aller à droite ou à gauche, prendre ce sentier plutôt qu'un autre.

*

Je commence au dix-neuvième siècle. Cela ne conviendrait pas au cher Berthelot Brunet qui, dans son *Histoire de la littérature canadienne-française*, se délectait des textes du Régime français et aurait souhaité abolir d'un trait de plume notre lourd dix-neuvième siècle pour arriver très vite à ses contemporains qui d'ailleurs, évidemment, ne sont plus les nôtres. Mais, pour moi, j'aperçois dans ce siècle en fait pas toujours excitant, du moins pour le littéraire, un écrivain, un vrai. Il s'appelle Octave Crémazie. Il a connu toutes sortes de malheurs : non seulement la faillite de sa librairie de Québec l'a-t-elle obligé à terminer son existence en exil, en France, mais encore il a été traité de « poète national », ce qui est beaucoup plus grave, pour des textes de circonstance qu'il a lui-même décrits comme de « pauvres choses ». Quant à son grand poème non terminé, interminable, la grande lamentation de la « Promenade de trois morts », il a le mérite d'avoir suscité des exercices de lecture fort séduisants, notamment ceux de Pierre Nepveu et de Jean Larose, mais ce n'est pas là un texte que l'on puisse lire aujourd'hui autrement que par devoir. Le plus vrai Crémazie, le Crémazie véritablement écrivain, c'est dans sa correspondance que je le trouve, plus précisément dans ses lettres à l'abbé Casgrain. Il y a là des textes admirables, d'une fermeté de sentiment et de ton presque sans failles, et qui occupent le lieu où la littérature, selon la loi moderne, se propose et se dérobe à la fois, se dit comme distance, comme essentielle solitude. Je choisis un extrait de la lettre du 10 avril 1866, où Crémazie explique à son correspondant l'abbé Casgrain pourquoi il ne terminera pas la « Promenade de trois morts » :

J'ai bien deux mille vers au moins qui traînent dans les coins et recoins de mon cerveau. À quoi bon les en faire sortir ? Je suis mort maintenant à l'existence littéraire. Laissons donc ces pauvres vers pourrir tranquillement dans la tombe que je leur ai creusée au fond de ma mémoire. Dire que je ne fais plus de poésie serait mentir. Mon imagination travaille toujours un peu. J'ébauche, mais je ne termine rien, et, suivant ma coutume, je n'écris rien. Je ne chante que pour moi. Dans la solitude qui s'est faite autour de moi, la poésie est plus qu'une distraction, c'est un refuge. Quand le trappeur parcourt les forêts du nouveau monde, pour charmer la longueur de sa route solitaire, il chante les refrains naïfs de son enfance, sans s'inquiéter si l'oiseau dans le feuillage ou le castor au bord de la forêt prêtent l'oreille à ses accents. Il chante pour ranimer son courage et non pour faire admirer sa voix. Ainsi de moi.

J'aurais pu citer des textes plus éclatants de Crémazie : par exemple sa polémique avec Monsieur Thibault sur la nature de la poésie ou encore le passage célèbre où le poète explique par l'absence d'une langue propre l'impossibilité que les œuvres canadiennes soient reçues en France. Dommage que nous n'écrivions pas en huron, écrivait-il avec un humour sombre, nous serions traduits, comme les Scandinaves, et notre exotisme serait aussi apprécié que le leur ! Mais celui-ci, le texte que je viens de citer, je peux le lire aujourd'hui, dans mes circonstances présentes, dans l'intimité d'un rapport qui n'est pas faussé par le passage du temps. Cette «mort à l'existence littéraire», c'est aussi Mallarmé (Mallarmé qui disait: «Un homme au rêve habitué, vient ici parler d'un autre, qui est mort»), un peu Rimbaud. Cette solitude, ce retrait au plus profond de l'être, à l'écart même de l'écriture rêvée (mais l'écriture réussit, dans la lettre, à dire cet écart même), c'est la littérature telle que je la vois encore se pratiquer sous mes yeux pour ainsi dire, infiniment incertaine d'elle-même.

De là, de Crémazie, je passe à Saint-Denys Garneau. La distance est énorme, sans doute scandaleuse. Elle m'effraie un peu moi-même. Elle implique des sacrifices auxquels aucun historien bien né de la littérature, aucun *amateur de poésie* ne saurait consentir. Au premier chef, assurément, le parolier de Monique Leyrac, le poète préféré du pianiste et compositeur André Gagnon, l'enfant génial, Émile Nelligan, que la critique, impressionniste ou savante, ne cesse de porter en triomphe sur ses épaules comme le faisaient ses amis de l'École littéraire de Montréal à la fin du dix-neuvième siècle. J'admire l'habileté précoce du versificateur, je goûte quelques poèmes, «Clair de lune intellectuel», «Soir d'hiver» et plus encore quelques ébauches hallucinées de la fin, peu appréciées par son ami Louis Dantin: «J'aurai surgi mal mort dans un vertige fou /

Pour murmurer tout bas des musiques aux Anges /
Pour après m'en aller puis mourir dans mon trou ». Et
je passe, un peu ennuyé par les exercices de style un
peu trop *jeunes*, une quincaillerie poétique qui même
chez Baudelaire, *horresco referens,* ne me charment
pas toujours. (« La forme si vantée en lui est mes-
quine », disait cruellement son admirateur Rimbaud.)
Cette quincaillerie, les vers comptés, la rime, les jeux
de sonorités, je l'accepte plus facilement chez Alfred
DesRochers, poète éloquent, savant, amoureux des
mots (il lisait une page de dictionnaire chaque jour), et
dont je n'écarte pas sans remords l'« Hymne au vent
du Nord ». Je m'approche de Saint-Denys Garneau,
du vers libre que DesRochers tenait pour l'œuvre du
diable, en fréquentant durant quelques heures l'œuvre
de Jean-Aubert Loranger. Mais enfin j'arrive chez le
poète des *Regards et jeux dans l'espace,* l'un des deux
ou trois plus grands écrivains qui soient nés au Québec
(ne me demandez pas de nommer les deux autres !).

Ce qui étonne ou devrait étonner, chez cet écrivain
qui est mort si jeune, après une vie si difficile, c'est
l'abondance de l'œuvre. Limitée au départ à une mince
plaquette de vers, elle s'est incroyablement augmentée
au cours des années qui ont suivi, poèmes retrouvés,
journal, correspondance, au point de devenir une sorte
de monument. Que faut-il donc choisir ? Une descrip-

tion de paysage comme on en trouve de nombreuses dans la correspondance et le journal, dont plusieurs mériteraient assurément de faire partie d'une anthologie ? Des poèmes d'une fraîcheur absolue, « Saules » ou « Pins à contre-jour » ? Celui, d'une justesse inouïe, qui clôt *Regards et jeux dans l'espace,* « Accompagnement » ? Ou encore un de ces récits en prose, dans le *Journal,* qui témoignent d'un dénuement spirituel assez effrayant ? On l'a peut-être deviné : après avoir choisi le texte de Crémazie que je citais tout à l'heure, je devais me diriger vers le plus radical – le plus beau, aussi – de ces poèmes en prose, « Le mauvais pauvre ». Je ne puis évidemment pas le citer en entier.

> Il rôde autour de vos richesses et s'introduit dans vos bonheurs par effraction. Il voudrait se rassasier par ses yeux de votre joie. Est-ce qu'à la savoir il va l'avoir ? C'est un pauvre irrémédiable. Il a beau s'épuiser par des escaliers de service pour entrevoir de plus près vos trésors, il y a un trou en lui par où tout s'échappe, tous ses souvenirs, tout ce qu'il aurait pu retenir. C'est comme un mendiant aux yeux mauvais qui interrogent, qui demandent servilement, sans fierté ; vous lui offrez quelque chose et son regard s'allume de convoitise, mais sa besace est percée. Peut-être qu'avec tout cela il aurait pu se faire une espèce de festin ; mais dès qu'il s'arrête pour un repas, il n'a plus rien. Il le sait bien à l'heure qu'il est, mais que voulez-vous qu'il fasse ? Il a envie, c'est tout ce qu'il a, peut avoir ; c'est sa vie.

C'est un pauvre et c'est un étranger, c'est-à-dire qu'il n'a rien, rien à échanger ; un étranger.

Et cela continue, pendant quelques pages, impitoyablement, l'écrivain comme un procureur contre lui-même.

Il y a plus d'une façon de lire ce texte. L'une d'elles est purement psychologique, d'une psychologie normative ; elle lit dans « Le mauvais pauvre » un autodiagnostic de misère, d'insuffisance, de culpabilité morbide en somme, elle le lit comme un document. Une autre, que je préfère et trouve plus juste, est attentive avant tout à la musique du texte, à son impitoyable rigueur, qui rachète à mesure le manque même dont il témoigne. Et c'est ainsi que nous serons conduits de la main la plus sûre jusqu'à la grande image de la fin, « sculpture imprévue de Giacometti » disait magnifiquement Jacques Brault :

Et pendant qu'il est assis là, attentif à sa désolation, il sent petit à petit s'accentuer ces heurts à la base des côtes, au long de l'épine dorsale, il sent que des êtres sont là, armés de haches, qui l'ébranchent. C'est comme un soulagement. Maintenant il sera réduit à ce seul tronc vertical, franchement nu. C'est, comme il dit, sa dernière expression. La seule acceptable, la seule qu'on est sûr qui ne ment pas. Il sera dépouillé de ses serres, des côtes qui retiennent son cœur enfermé. Il sera dépouillé de cet habit, de cette circonférence où son attention sans cesse voyage et se perd et s'épuise. Il n'aura plus rien à défendre. Il ne sera plus en proie à cette méchante soif tapie au creux de sa poitrine, son envie.

Et cetera.

La « dernière expression », en effet. Nous assistons, ou plutôt nous participons, dans « Le mauvais pauvre », à l'épreuve la plus sévère qui soit imposée au langage, à la parole – à sa *vérification* pour ainsi dire. Rien n'est plus vrai que ce récit d'un mensonge prétendu.

Impossible de ne pas disposer, auprès de ce texte de Saint-Denys Garneau, un portrait de sa cousine Anne Hébert : affaire de famille, mais d'une famille avant tout spirituelle, littéraire. Et qui, mieux que lui, a évoqué sa présence ? Cette « élégance un peu rigide, un peu mécanique, avec une miette de préciosité, écrit-il dans son *Journal*; le tout empreint de gaucherie enfantine. Une chaleur pourtant là-dessous. Alliage vraiment étrange, surprenant et tel, j'y songe, qu'aurait probablement goûté Baudelaire. » Mais ici encore, j'hésite : vais-je citer une page de prose, par exemple le début souverain du *Torrent*, une des plus belles pages de la littérature québécoise ? « J'étais un enfant dépossédé du monde. Par le décret d'une volonté antérieure à la mienne, je devais renoncer à toute possession en cette vie. Je touchais au monde par fragments, ceux-là seuls qui m'étaient immédiatement indispensables, et enlevés aussitôt leur utilité terminée... » Ou bien un poème, par exemple le poème-titre du *Tombeau des Rois,* poème immense, d'une rigueur impitoyable, chargé de significations inépuisables? J'irai ailleurs, peut-être pour suggérer que tout, de l'œuvre d'Anne Hébert, m'importe, me paraît essentiel. Aussi par désir de l'extraire du carcan dramatique dans lequel, à mon sentiment, elle est trop souvent lue. La poésie d'Anne Hébert n'est pas seulement, n'est pas essentiellement la description d'un drame, et sa résolution; elle est grâce de l'instant, saisie miraculeuse par le langage du rapport le plus intime de l'homme – devrais-je dire la femme? – avec le monde. Comme dans le poème, si peu souvent cité, qui s'intitule « Un bruit de soie » :

> Un bruit de soie plus lisse que le vent
> Passage de la lumière sur un paysage d'eau.
>
> L'éclat de midi efface ta forme devant moi
> Tu trembles et luis comme un miroir
> Tu m'offres le soleil à boire
> À même ton visage absent.
>
> Trop de lumière empêche de voir ;
>   l'un et l'autre torche blanche,
>   grand vide de midi
> Se chercher à travers le feu et l'eau
>   fumée.

Peu à peu le poème conduit de l'absence à l'accomplissement, une des plus belles extases amoureuses de la poésie d'Anne Hébert, et de toute la poésie québécoise :

Aveugle je reconnais sous mon ongle
    la pure colonne de ton cœur dressé
Sa douceur que j'invente pour dormir
Je l'imagine si juste que je défaille.

Mes mains écartent le jour comme un rideau
L'ombre d'un seul arbre étale la nuit à nos pieds
Et découvre cette calme immobile distance
Entre tes doigts de sable et mes paumes toutes fleuries.

C'est ici la poésie la plus pure et en même temps la plus sensuelle, la plus attentive à la richesse intime d'une vie que rien ne peut réprimer.

Je sors à peine de la famille en inscrivant ici le nom de Jean Le Moyne, ami et correspondant privilégié de Saint-Denys Garneau. Mais si plusieurs questions sont communes aux trois écrivains, le ton du troisième est profondément différent. Jean Le Moyne, auteur d'un seul livre d'essais, *Convergences,* a deux passions (entre autres) : la locomotive – à vapeur, s'entend – et l'orgue – essentiellement celui de Jean-Sébastien Bach. Sa prose est puissante, emportée par des mouvements tumultueux, et l'on pourrait dire intolérante, à la condition de se souvenir de ce que Claudel disait de la tolérance, qu'il y a des maisons pour ça. Son œuvre a tout pour choquer, du moins au Québec, et elle a choqué. Elle n'a aucune pitié pour le nationalisme et la littérature nationale ; elle affiche une véritable passion pour la tradition et le roman anglais, de Grande-Bretagne et des États-Unis ; elle s'envole fréquemment vers les hauteurs de la spiritualité et de la théologie, ce qui ne convient pas forcément aux agnostiques que nous sommes tous plus ou moins devenus. En contrepartie, ou plus justement en conséquence, je pose : une grande écriture, une culture large et profonde, et l'approbation d'un lecteur de grande classe, le pianiste Glenn Gould, qui voyait en lui un *théologien* inspirateur. Dans cette œuvre apparemment brève mais très considérable par la richesse et la variété de ses interventions, je choisis un texte superbe, d'une haute fantaisie, où il est question, justement, conjointement, de la locomotive à vapeur et de l'orgue :

> Aucun instrument ne m'a donné autant de plaisir que l'orgue. Sauf la locomotive à vapeur. Dans une même rêverie de puissance surgie du plus loin de mon enfance, elles m'imposent soudain leur association, ces machines à tuyaux, à pression et à souffle, ces mécaniques aux énergies infatigables, l'une capable d'un discours intarissable par une multitude de voix simultanées, l'autre capable d'ébranlements et de parcours illimités, et toutes deux à la fois si complexes et si simples. Je leur dois, dans l'ordre instru-

mental, des ravissements parfaits, des extases infaillibles. L'orgue et la locomotive n'ont jamais manqué leur coup en moi, ni moi en eux : les déploiements et les nuances de leurs souveraines capacités ont toujours éveillé en moi l'aise la plus nombreuse, la plus joyeuse et la plus assurée. Je loue leur infaillibilité ; je loue avec plus de ferveur encore leur fidélité, car ces mécaniques ont résisté à toute confrontation et se sont confirmées inépuisables propositions de poésie, inlassables appréhensions poétiques, alors que tant de fabrications humaines n'ont plus pour moi leur pouvoir originel. J'aurai cessé de m'identifier à elles sans que s'atténue le message délectable de leurs symboliques.

Voilà un texte superbement excessif où la prose, qui est ici un art au même titre que la poésie, se donne les moyens mêmes de ce dont elle parle, la puissance de la locomotive et celle de l'orgue, tout en conjuguant les niveaux de langue les plus divers, par exemple le commun, le vulgaire même – « manqué leur coup », au sens évidemment sexuel de l'expression – et le langage spirituel de la louange. Amateur d'orgue, Jean Le Moyne pratique les accords les plus larges, occupant à la fois les extrêmes et le centre.

Et le roman, me dit-on ? L'ai-je oublié ? En fait, avant la Seconde Guerre mondiale, je n'ai pas oublié grand-chose : *Un homme et son péché* de Claude-Henri Grignon, oui, qui contient des pages assez étonnantes, d'une sensualité tout à fait perverse ; et un faux chef-d'œuvre, une émanation poussiéreuse du cours classique, le *Menaud* de Félix-Antoine Savard. Mais voici, très en retard, le contingent de nos réalistes, les Ringuet, Roger Lemelin, Germaine Guèvremont, Gabrielle Roy. C'est la dernière que je retiens, après avoir rendu les hommages qui conviennent aux trois autres. Et, de Gabrielle Roy, je choisis le tout premier livre, le plus gris, qui n'a certes pas la charge émotionnelle immédiate, le charme d'ouvrages plus tardifs, *Ces enfants de ma vie* ou l'autobiographie de *La détresse et l'enchantement*. Je choisis *Bonheur d'occasion* parce que c'est un texte dont je ne peux pas me passer, dont on ne peut se passer si l'on veut savoir un peu qui nous sommes, Canadiens français tenus si loin de l'histoire qui se fait. Je pense à telle scène – une scène bouleversante que j'ai souvent donnée à analyser à mes étudiants –, où Azarius Lacasse révèle progressivement à sa femme Rose-Anna, qui vient d'accoucher encore une fois, qu'il s'est engagé dans l'armée.

> Une sueur mouillait son front. Il se prit à haleter doucement. Il ne savait plus s'il avait agi pour se sauver lui-même ou pour sauver sa pauvre famille. Mais il avait sur les lèvres un sentiment d'accomplissement, de résurrection.
>
> Une voix molle, imprécise et cependant déjà touchée de crainte, monta vers lui :
>
> – Azarius, c'est-y que tu as trouvé de l'ouvrage à la campagne et que tu vas partir ?

Pas de réponse.

Alors, rauque, presque sifflante, la voix repartit :

– Azarius, allume que je te voie !

Doucement, Azarius alla cette fois tourner la clé de l'ampoule suspendue au bout du fil.

Éblouie, Rose-Anna ne vit d'abord que les mains d'Azarius qui voltigeaient, puis le visage pâle mais déterminé et si jeune qu'elle en fut troublée mortellement.

Son regard s'abaissa jusqu'aux épaules. Il descendit à la taille, aux jambes prises dans un vêtement qu'elle ne reconnaissait pas. Ses yeux s'ouvrirent, démesurés. Sa bouche frémit. Et soudain elle poussa un grand cri, un seul, qui se perdit dans la marche sifflante d'une locomotive.

Immobile, Azarius se tenait devant elle, vêtu de l'uniforme militaire.

Tout est là : la femme pauvre, celle qui garde le flambeau de la vie ; l'homme-enfant, plein d'illusions, qui croit qu'il s'en va sauver le monde ; et le cri, qui est à la fois un cri de mort et un cri de naissance… Le Québec moderne vient de naître au monde, par la voix des plus humbles.

Arrivant à la période contemporaine, qui pour moi commence quelques années avant la Révolution tranquille, repère commode, en 1950 si l'on veut, et se termine sans se terminer complètement une vingtaine d'années plus tard avec la disparition d'un certain nombre de rêves collectifs, je ne puis m'empêcher de retourner pour un bref séjour à la poésie. Ici encore, les sacrifices seront très importants, voire scandaleux aux yeux des véritables historiens de la littérature, mais j'en fais profiter un grand poète, un poète à la fois populaire et de haute culture qui s'appelle Gaston Miron. Si je m'arrête chez lui, ce n'est pas d'abord par inclination nationaliste, parce qu'il est le chantre incontesté de ce qu'on appelle le « pays » – encore qu'il soit impossible à un lecteur québécois de ne pas subir au moins dans une certaine mesure l'attraction de ce vocable – mais parce qu'il a affirmé, travaillé notre langue commune avec une puissance incontestable, quasi hugolienne. Qui ne connaît pas ses grands cycles, « La marche à l'amour », « La batèche », « La vie ago-nique », « L'amour et le militant », « Aliénation déli-rante », qui ne les a pas entendus clamés par la voix forte et rauque du poète ? J'ai été tenté de m'éloigner un peu de ces massifs, pour donner à entendre la voix la plus intime de Gaston Miron, celle par exemple du dernier poème de *Deux sangs,* paru en 1953, « Ma désolée sereine » :

> Ma désolée sereine
> ma barricadée lointaine
> ma poésie les yeux brûlés
> tous les matins tu te lèves à cinq heures et demie...

C'est bien la voix de Gaston Miron – « ma poésie le cœur heurté / ma poésie de cailloux chahutés » – que j'entends dans ce poème, avec ses maladresses voulues, on oserait dire nécessaires: «avec nous par la main d'exister», «nos corps revendiqués beaux», c'est-à-dire des maladresses qui n'en sont pas vraiment, qui disent à la fois, inextricablement, le bonheur et le malheur d'une parole poussée à bout et vivant de cette contradiction même. Mais à ce poème de l'intimité douloureuse, je préférerai aujourd'hui, sans me convaincre tout à fait de la justesse de mon choix, un extrait d'un des grands cycles dont je parlais tout à l'heure, «Monologues de l'aliénation délirante», où la langue de Gaston Miron s'inscrit, pour parler des peines d'aujourd'hui, dans la grande tradition de l'éloquence française:

> Le plus souvent ne sachant où je suis ni pourquoi
> je me parle à voix basse voyageuse
> et d'autres fois en phrases détachées (ainsi
> que se meut chacune de nos vies)
> puis je déparle à voix haute dans les haut-parleurs
> crevant les cauchemars, et d'autres fois encore
> déambulant dans un orbe calfeutré, les larmes
> poussent comme de l'herbe dans mes yeux
> j'entends de loin: de l'enfance, ou du futur
> les eaux vives de la peine lente dans les lilas
> je suis ici à rétrécir dans mes épaules
> je suis là immobile et ridé de vent.

[...]

or je suis dans la ville opulente
la grande Ste. Catherine Street galope et claque
dans les Mille et Une Nuits des néons
moi je gis, muré dans la boîte crânienne
dépoétisé dans ma langue et mon appartenance
déphasé et décentré dans ma coïncidence
ravageur je fouille ma mémoire et mes chairs
jusqu'en les maladies de la tourbe et de l'être
pour trouver la trace de mes signes arrachés emportés
pour reconnaître mon cri dans l'opacité du réel.

Faut-il dire qu'il n'est pas nécessaire de partager les options politiques du poète pour être touché profondément par cette grande réclamation ?

Avec le poète de « l'homme rapaillé », je suis arrivé à une période qui est particulièrement la mienne, celle qui s'est faite pour ainsi dire sous mes yeux, par des écrivains que je connais, qui sont parfois des amis, et l'injustice indispensable de ma petite anthologie va devenir criante et douloureuse avant tout pour moi-même. Il y a des vers qui ne quittent pas ma mémoire, des vers qui ont fait de moi un lecteur de poésie. Ceux-ci, par exemple, de Fernand Ouellette, poète de la fulgurance :

Ne former qu'une échelle contre la foudre. Dernier élan au cœur de cygne, dernier long vol à l'énergie de neige.

Et ces premiers vers du poème magique de Roland Giguère :

Rosace rosace les roses
roule mon cœur au flanc de la falaise.

Et encore, l'entrée en matière – donnons ici au mot
« matière » son sens le plus lourd, le plus complet – du
poème célèbre de Paul-Marie Lapointe :

j'écris arbre
arbre d'orbe en cône et de sève en lumière.

Ces quelques citations ne sont bien entendu que des
indications panoramiques, qui ne peuvent suggérer
suffisamment la richesse des poèmes qu'ils amorcent.

Mais il me faut quitter encore une fois le « temps
des poètes » pour celui des romanciers, qui dans les
années soixante va s'imposer de façon spectaculaire, à
Paris comme à Montréal. C'est, si vous voulez, le
roman de la Révolution tranquille, telle que la décrit la
première phrase du roman de Hubert Aquin, *Prochain
épisode* :

Cuba coule en flammes au milieu du lac Léman pendant
que je descends au fond des choses.

Le paradoxe de la « Révolution tranquille » est repris
de façon quasi littérale dans cette phrase étonnante :
Cuba, c'est-à-dire les flammes, c'est-à-dire la Révolution ; d'autre part le lac Léman, c'est-à-dire la Suisse,

la neutralité, la tranquillité. Tout est là, et débrouillez-vous comme vous le pouvez! Mais ce n'est pas un extrait de ce roman que je veux inclure dans mon anthologie, bien qu'il ait été loué et commenté à l'infini par la critique, la journalistique aussi bien que l'universitaire. Il y a, dans le roman québécois de cette période, deux *incipit* peut-être moins flamboyants mais d'une richesse de sens et de langage à mon avis plus convaincante. « Les pieds de Grand-Mère Antoinette... », vous avez reconnu? Lisons, laissons-nous emporter par cette étonnante description:

> Les pieds de Grand-Mère Antoinette dominaient la chambre. Ils étaient là, tranquilles et sournois comme deux bêtes couchées, frémissant à peine dans leurs bottines noires, toujours prêts à se lever: c'étaient des pieds meurtris par de longues années de travail aux champs (lui qui ouvrait les yeux pour la première fois dans la poussière du matin ne les voyait pas encore, il ne connaissait pas encore la blessure secrète à la jambe, sous le bas de laine, la cheville gonflée sous la prison de lacets et de cuir...) des pieds nobles et pieux (n'allaient-ils pas à l'église chaque matin en l'hiver?) des pieds vivants qui gravaient pour toujours dans la mémoire de ceux qui les voyaient une seule fois – l'image sombre de l'autorité et de la patience.
>
> Né sans bruit par un matin d'hiver, Emmanuel écoutait la voix de sa grand-mère. Immense, souveraine, elle semblait diriger le monde...

Cette grand-mère qui représente sans doute la tradition, l'autorité de la tradition, mais qui, paradoxalement, domine par les pieds, c'est-à-dire par ce qu'il y a en elle de plus humble, de plus proche de la terre ; cette amorce de dialogue entre le plus ancien et le plus neuf, c'est-à-dire l'enfant qui vient de naître et qui porte un des noms du Christ, Emmanuel, tout cela, dans le texte de Marie-Claire Blais, compose une image à la fois très riche et déconcertante d'une transition radicale, d'un rapport entre l'ancien et le nouveau qui appartient sans doute à la Révolution tranquille mais n'appartient pas qu'à elle. Un demi-siècle plus tard, aujourd'hui, Grand-Mère et Emmanuel poursuivent encore l'étrange dialogue du début de leur roman.

L'autre début de roman, vous le reconnaîtrez aussitôt, lui aussi. Il tient, pour l'essentiel, en trois mots :

Tout m'avale.

Continuons :

Quand j'ai les yeux fermés, c'est par mon ventre que je suis avalée, c'est dans mon ventre que j'étouffe. Quand j'ai les yeux ouverts, c'est par ce que je vois que je suis avalée, c'est dans le ventre de ce que je vois que je suffoque. Je suis avalée par le fleuve trop grand, par le ciel trop haut, par les fleurs trop fragiles, par les papillons trop craintifs, par le visage trop beau de ma mère. Le visage de ma mère est beau pour rien. S'il était laid, il serait laid pour rien. Les visages, beaux ou laids, ne servent à rien. On regarde un visage, un papillon, une fleur, et ça nous travaille, puis ça nous irrite. Si on se laisse faire, ça nous désespère. Il ne devrait pas y avoir de visages, de papillons, de fleurs. Que j'aie les yeux ouverts ou fermés, je suis englobée : il n'y a plus d'air tout à coup, mon cœur se serre, la peur me saisit.

Réjean Ducharme est un des auteurs les plus étudiés de la littérature québécoise récente, et ce texte notamment a fait l'objet d'un assez grand nombre de gloses dont une, au moins, porte ma signature. Je les oublierai un peu, les autres et la mienne, pour ne retenir que le mouvement, cette façon décidée, pressée, d'aller au bout de la pensée que suggèrent les mots, cette pensée de la beauté *en trop*, de la beauté inutile et qui pour cette raison fait mal parce qu'elle est le surplus, la transcendance qui nous est toujours promise et qui toujours nous est refusée. *L'avalée des avalés,* malgré le bruit et la fureur, appartient et ne peut pas ne pas appartenir, par la pureté de sa voix, à cette beauté-là. Un de mes collègues universitaires me disait récemment que, à ses yeux, l'œuvre de Réjean Ducharme avait vieilli. Oui, peut-être, mais surtout à cause des commentaires qu'elle a dû supporter, et qui – quelles que soient leur qualité, leur perspicacité – donneraient des rides à n'importe quelle œuvre. Disons que Réjean Ducharme a besoin d'être relu avec ignorance. On n'a pas besoin d'être musicologue pour aimer la *Quarantième* de Mozart.

J'arrive à mon neuvième texte. Il n'y en aura pas dix. (Beethoven et Bruckner, non plus, n'ont pas écrit de dixième symphonie, et Mahler s'est arrêté en chemin…) Je démissionne avant ce chiffre pour me donner du jeu, pour laisser une case libre dans laquelle on pourra mettre, au choix, le nom d'un écrivain québécois pour lequel j'ai de l'admiration, voire de la reconnaissance, de Pierre Vadeboncœur à Rina Lasnier, de Grandbois à Major, de Bessette à Ferron, de Claire Martin à Godbout, de Morency à Thériault[2]. Ce sera, si l'on veut, la case de mes remords. Mais le neuvième, qui sera-t-il? Ce sera un poète, d'abord. Je ne puis m'empêcher d'accorder un certain privilège à la poésie, dans cette anthologie – péremptoire, je ne cesse de le rappeler –, parce qu'elle représente à mes yeux l'entreprise littéraire la plus exigeante, la plus pure ou, pour reprendre la belle formule de Valéry, «la littérature réduite à l'essentiel de son principe actif». Mais ce poète n'aura

2. J'interromps ici la liste, en vertu de la décision prise plus haut de ne pas me perdre dans des explications et des justifications qui ne tiendraient pas la route.

pas écrit que des poèmes; il aura aussi pratiqué assidûment la prose et même tâté de quelques genres narratifs, le récit, le théâtre. Je tiens à la prose. Je ne crois pas qu'il existe en littérature moderne de grand poète qui ne soit également un grand prosateur, de Hugo à Baudelaire, de Claudel à Yves Bonnefoy, peut-être parce que la prose délie la langue, lui donne de l'espace, de l'exercice, la libère des tics, des formules figées que risque toujours de produire la contraction poétique. Ce poète qui est aussi prosateur, c'est, j'espère que vous l'aurez reconnu, Jacques Brault, grand écrivain (je pèse le mot) aussi bien dans les chroniques de *Ô saisons, ô châteaux* que dans les poèmes de *Mémoire* ou de *Moments fragiles.* Je ne citerai qu'un poème de lui, extrait de ce dernier recueil; un poème très bref, qui parle moins par ce qu'il dit expressement que par ce qu'il laisse entendre, par le vide en lui qui est une porte ouverte sur le plus vaste univers. Il ne compte que trois vers:

> La neige est tombée si doucement
> dans ma veille que j'ai entendu soupirer
> la foudre tranquille

Il faudrait lire ce poème plusieurs fois sans doute – disons une lecture tous les mois par exemple – pour saisir, éprouver ce qu'est cette « foudre tranquille » et comment, dans la « veille », elle naît de la douceur même de la neige, comme si elle était appelée par la neige. J'arrête ici le commentaire.

Je tenais à terminer cette conférence par un texte aussi nu, aussi peu avantageux – au sens de prétentieux, suffisant –, aussi peu occupé de se faire valoir dans le champ des déclarations littéraires. Le poème de Jacques Brault ne s'impose pas, ne fait pas concurrence. Si vous le placez dans une anthologie, privé du blanc qui l'entoure dans sa parution originelle, il aura l'air trop court, insuffisant. Il a besoin d'être entouré de plusieurs autres poèmes semblables à lui pour avoir l'air un tant soit peu convenable à la foire de la poésie. À ce titre, il contredit même, d'une certaine façon, par son humilité, son manque absolu de panache, l'idée d'une littérature nationale, puisque celle-ci ne peut que jouer des coudes pour se faire une place dans ce que Crémazie appelait « le concert des nations ». Toute littérature nationale, et particulièrement une petite littérature, née il y a peu (qu'est-ce que deux ou trois siècles dans la vie d'une littérature ?), est compétitive. Elle a même tendance parfois à se faire aussi grosse que le bœuf, avec les conséquences malheureuses qu'entraîne une telle opération, selon un écrivain trop peu lu du dix-septième siècle français.

Il reste que ma petite anthologie péremptoire postule l'existence d'une littérature québécoise. Les textes que j'y réunis ne sont pas seulement choisis à titre de « beaux objets » littéraires, selon l'expression qu'employait le critique parisien Alain Bosquet dans son anthologie de la poésie québécoise. Ils sont associés les uns aux autres par des liens de divers ordres ; ils habitent une même maison, qui n'est pas faite seulement de ce qu'ils sont en eux-mêmes, mais aussi d'une idée, d'une aspiration qui les fait vivre au-delà de ce que leur seule réalité particulière leur permettrait d'espérer. Cette idée est utile, féconde, dans la mesure où elle fait circuler le littéraire, où elle donne des lecteurs à des œuvres nécessaires qui, sans elle, n'en auraient peut-être pas assez. Elle peut avoir aussi des effets pervers, sur lesquels il serait inélégant d'insister. De toute manière, elle a besoin d'être contredite, régulièrement, par des choix de lecture qui échappent à son empire, qui font lire Jacques Brault comme René Char, Pierre Jean Jouve ou Aimé Césaire, Marie-Claire Blais comme Marguerite Duras.

Mais, entre les écrivains que j'ai choisis, existe-t-il des liens, sinon des ressemblances, qui me permettraient d'aller un peu plus que le simple penchant, le goût ? Je n'ai pas l'intention de m'aventurer longuement sur ce terrain, où se forme l'idée que je me fais de la littérature. Je dirai des choses très simples, presque évidentes. Les neuf écrivains que j'ai réunis dans ma petite anthologie péremptoire – plus un certain nombre qui occupent la dixième case ! – ont en commun, me semble-t-il, malgré des orientations formelles et existentielles profondément différentes, par exemple entre Saint-Denys Garneau et Gabrielle Roy, Jean Le Moyne et Jacques Brault, de n'écrire pas *pour rire*. Ils ont affaire à quelque chose qu'à d'autres époques on appellerait la vérité. Je sais que c'est là un mot dangereux, et que particulièrement dans notre histoire à nous, Canadiens français, il s'est confondu très souvent avec des certitudes artificielles. La vérité dont je parle est le contraire de celle-là, et elle ne s'obtient, toujours infiniment fragile, que par le creusement jamais abandonné de quelques thèmes inépuisables. J'ai besoin de sentir qu'un écrivain me parle, à moi, de choses qui lui importent. Et qu'il le fasse dans un corps à corps – vous notez que je n'emploie pas le mot âme – exigeant avec le langage, à la fois moyen et fin de cette poursuite sans fin. Je n'attends pas qu'il m'apporte des solutions, la littérature n'est pas faite pour ça. Elle est généralement plus féconde dans l'exploration du négatif, de la défaite même, que dans certaines propositions de vie. « Le mauvais pauvre » est pour moi un des textes les plus inspirants de la littérature québécoise.

Un autre trait réunit les textes de mon anthologie, celui de provoquer, d'exiger la relecture. C'est pourquoi ils datent pour la plupart du milieu du siècle précédent, et même de plus loin. Une autre anthologie également péremptoire serait possible, sans doute, à partir des écrivains, souvent notables, qui se sont révélés durant les dernières décennies du vingtième siècle. Mais il me semble que le mot anthologie n'aurait plus alors le même sens, n'affirmerait pas avec autant de raisons le profit de la relecture.

Que dire encore, pour justifier mes choix ?

« *Parce que c'était lui* (ou elle), *parce que c'était moi.* »

Œuvres citées et leurs éditions récentes

Octave Crémazie, « Lettre à l'abbé Casgrain du 10 avril 1866 », in *Poèmes et proses*, sous la direction d'Odette Condemine, Montréal, Bibliothèque québécoise, 2006.

Hector de Saint-Denys Garneau, « Le mauvais pauvre », in *Œuvre complète*, sous la direction de Benoît Lacroix et Jacques Brault, Montréal, PUM, 1971.

Anne Hébert, « Un bruit de soie » in *Œuvre poétique 1950-1990*, Paris, Seuil, 1992; Montréal, Boréal, coll. « Boréal compact », 1993.

Jean Le Moyne, « Rencontre de Jean-Sébastien Bach » in *Convergences*, Montréal, Éditions Hurtubise HMH, coll. « Constantes », 1961; Montréal, Fides, coll. « le Nénuphar », 1992.

Gabrielle Roy, *Bonheur d'occasion*, Montréal, Boréal, coll. « Boréal compact », 1993 (© Fonds Gabrielle Roy).

Gaston Miron, « Ma désolée sereine » et « Monologues de l'aliénation délirante » in *L'homme rapaillé*, Montréal, L'Hexagone, coll. « Typo », 1998 [© 1998, Éditions Typo et Succession Gaston Miron (Marie-Andrée Beaudet et Emmanuelle Miron)].

Marie-Claire Blais, *Une saison dans la vie d'Emmanuel*, Montréal, Boréal, coll. «Boréal compact», 1991 (avec l'aimable autorisation de John C. Goodwin et Associés).

Réjean Ducharme, *L'avalée des avalés*, Paris, © Éditions Gallimard, coll. «Folio», 1982.

Jacques Brault, *Moments fragiles*, Saint-Hippolyte, Éditions du Noroît, 1984, 2000.

Les extraits des textes d'Anne Hébert, Jean Le Moyne, Gabrielle Roy, Gaston Miron, Marie-Claire Blais, Réjean Ducharme et Jacques Brault sont reproduits avec l'aimable autorisation des éditeurs concernés, soit Boréal, Hurtubise HMH, l'Hexagone, Gallimard, Le Noroît. Qu'ils en soient remerciés.

LES GRANDES CONFÉRENCES

Créée par le Musée de la civilisation à Québec, la collection
« Les grandes conférences » regroupe des textes de conférences
prononcées au Musée même, à son initiative, mais également
en d'autres lieux, marqués ici par un astérisque.

Roland Arpin
La fonction politique des musées
Une école centrée sur l'essentiel*

Normand Baillargeon
La lueur d'une bougie*
Citoyenneté et pensée critique

Philippe Barbaud
La chimère d'Akkad et l'économie mondiale des langues*

Catherine Barry
Des femmes parmi les apôtres
2000 ans d'histoire occultée

Mgr Bertrand Blanchet
Quelques perspectives pour le Québec de l'an 2000

Chantal Bouchard
On n'emprunte qu'aux riches*
La valeur sociolinguistique et symbolique des emprunts

Jacques-Olivier Boudon
Napoléon à Sainte-Hélène*
De l'exil à la légende

André Burelle
Le droit à la différence à l'heure de la globalisation*
Le cas du Québec et du Canada

Jean Daniel
Affirmation nationale et village planétaire

Pierre Dansereau
L'envers et l'endroit
Le besoin, le désir et la capacité

Henri Dorion
Éloge de la frontière

Louis Jacques Filion
Tintin, Minville, l'entrepreneur et la potion magique*

Hervé Fischer
Le romantisme numérique

Yves Gingras
Éloge de l'homo techno-logicus*

Jacques T. Godbout
Le langage du don

Jacques Grand'Maison
Pourquoi sombrons-nous si souvent dans la démesure ?*

Jean-Claude Guillebaud
L'homme est-il en voie de disparition ?

Gisèle Halimi
Droits des hommes et droits des femmes
Une autre démocratie

Nancy Huston
Pour un patriotisme de l'ambiguïté*
Notes autour d'un voyage aux sources

Albert Jacquard
Construire une civilisation terrienne

Claude Julien
Culture : de la fascination au mépris

Bartha Maria Knoppers
Le génome humain : patrimoine commun de l'Humanité ?

Henri Laborit
Les bases biologiques des comportements sociaux

Zaki Laïdi
La tyrannie de l'urgence

Monique LaRue
L'arpenteur et le navigateur*

Yvan Lamonde
Trajectoires de l'histoire du Québec

Jean-François Malherbe
L'incertitude en éthique*
Perspectives cliniques

Benoît Melançon
Sevigne@Internet*
Remarques sur le courrier électronique et la lettre